PIERRE PARALYSÉ PAR LE TRAC

MUSIQUE DE
Claude Debussy

CONCEPT ORIGINAL DE
Denise Trudel

CONTE DE
Mathieu Boutin

ILLUSTRATIONS DE
Paule Trudel Bellemare

NARRATION
Pascale Montpetit

VOIX DE PIERRE
Kim Béchard

VOIX DE CLARA ET DE LA MÈRE
Marie-Ève Beaulieu

VOIX DU PÈRE ET DE M. WIECK
Carl Béchard

VOIX DE LA TANTE JULIETTE
Françoise Graton

VOIX DE L'ONCLE JULIEN
Gilles Marsolais

AU PIANO
Denise Trudel

« Conter fleurette »

Les éditions Planète rebelle remercient le Conseil des Arts du Canada de l'aide accordée à leur programme de publication, ainsi que la Société de développement des entreprises culturelles du Québec (SODEC) et le « Gouvernement du Québec - Programme de crédit d'impôt pour l'édition de livres - Gestion SODEC ». La maison d'édition remercie également le ministère du Patrimoine canadien du soutien financier octroyé dans le cadre de son programme « Fonds du livre du Canada ».

L'auteur remercie le Conseil des Arts du Canada de son soutien. L'an dernier, le Conseil a investi 154 millions de dollars pour mettre de l'art dans la vie des Canadiennes et des Canadiens de tout le pays.

Révision : Janou Gagnon / Correction : Corinne De Vailly / Design graphique : Marie-Eve Nadeau / Correction d'épreuves : Gilles G. Lamontagne

Dépôt légal : 3e trimestre 2012
Bibliothèque et Archives nationales du Québec
Bibliothèque et Archives Canada
ISBN : 978-2-923735-36-8

www.planeterebelle.com

À ma mère.

PLAGES

FONDUE

Pierre avait pris tout son temps pour rentrer de l'école. Il faisait beau, la neige était presque toute fondue et on pouvait maintenant se promener dans la rue en souliers, sans chapeau ni gants. Il s'en réjouissait.

Sur le point d'arriver chez lui, il s'arrêta une minute pour flatter Cyrano, le chien du voisin, qui s'était approché de la clôture, à sa rencontre.

— Salut, toi, gros toutou.

Le jardin du voisin était jonché des crottes que le chien avait laissées tout au cours de l'hiver. Graduellement ensevelies sous les couches de neige superposées, elles émergeaient maintenant, à la faveur du printemps.

Avec le soleil qui tapait là-dessus, ça commençait à ne plus sentir très bon.

— Allez, mon bonhomme, je dois partir maintenant.

Pierre franchit les quelques pas qui le séparaient encore de sa maison et entra par la porte de la cuisine.

— C'est moi !

On ne lui répondit pas, mais il entendit de la musique en provenance du salon.

Quelqu'un jouait du piano. Pierre reconnut une *Arabesque* de Debussy.
La première, en mi majeur.

Il se rendit doucement jusqu'au salon.

Tante Juliette était assise au clavier. C'était bien elle, mais elle avait quelque chose de différent. Elle était si grosse avant, et là, elle semblait toute frêle.

La maman de Pierre l'aperçut et lui fit signe de venir s'asseoir sur le canapé à ses côtés, tout en lui faisant « chut ! » du doigt, gentiment. Oncle Julien et le père de Pierre étaient là aussi, confortablement installés dans les grands fauteuils verts. Ils écoutaient.

Ça faisait drôle d'arriver en plein milieu de ce « concert ». Pierre n'avait jamais entendu sa tante - sa grand-tante, en fait, car c'était la tante de son père - jouer du piano.

Il était étonné des sonorités délicates que tante Juliette faisait sortir de l'instrument. Elle jouait vraiment très bien.

Il aurait voulu s'approcher pour mieux voir ce que les doigts de sa tante accomplissaient sur les touches du clavier. D'où il était, il voyait tout de même les bras graciles de Juliette qui émergeaient de sa petite robe bleue se promener de gauche à droite, selon les montées ou les descentes de la partition ; elle semblait toute petite sur le large banc, sa tête, un peu décoiffée, penchée sur ses mains, toute à sa musique.

Il était franchement épaté.

Après qu'elle eut joué les dernières notes, un silence emplit la pièce.

Juliette se retourna.

Tous applaudirent. Pierre aussi, bien qu'il fût encore sous le charme de la musique qu'il venait d'entendre et dans la surprise du moment.

— Oh! vous êtes gentils... Je ne sais plus très bien jouer, surtout devant du monde... C'est le trac... dit tante Juliette, restant assise sur le banc.

Tout le monde se leva.

— Bravo, Juliette! dit la mère de Pierre.

— Ma-gni-fi-que! renchérit son père.

Pierre aperçut son oncle Julien essuyer une larme. Il ne comprenait pas; Pierre, lui, était tout sourire.

— Bravo, tante Juliette! Wow! C'est Debussy, hein?

— Oh! je ne sais pas... c'est tout ce dont je me souviens encore!

— Mais non, voyons, c'est tellement beau... reprit le père de Pierre.

— Ça me rappelle nos fréquentations, Juliette, tu te souviens... dit oncle Julien qui s'était approché pour prendre son épouse dans ses bras. Tu avais seize ans, ta famille habitait la maison juste à côté. Je venais te voir et on mangeait de la crème glacée...

Juliette avait l'air embarrassé.

— Et toi, mon bonhomme, qu'est-ce que c'est ton nom déjà ?

Il y eut un autre silence.

Oncle Julien intervint alors que Pierre allait parler.

— Voyons Juliette, c'est Pierre, le garçon de Robert ; tu sais bien, il venait passer les étés à la mer avec nous, il y a quelques années...

Juliette se leva prestement de son banc, corrigea sa coiffure d'un geste de la main...

— Bien sûr, Pierre... Ça change tellement à cet âge-là... Viens me voir que je t'embrasse, mon beau garçon. T'es bien grand !

Pierre s'approcha doucement pour lui donner l'accolade et un baiser. En embrassant sa tante, il fut surpris de pouvoir en faire facilement le tour de ses deux bras. Il est vrai qu'il avait pas mal grandi depuis la dernière fois qu'il l'avait vue, mais tout de même...

Tante Juliette le serra un long moment.

« Elle a fondu », pensa Pierre, blotti dans les bras de la pianiste en robe bleue.

La maman de Pierre s'approcha d'eux.

— Et toi, Pierrot, tu nous joues quelque chose ?

UNE PHOTO

« Tu nous joues quelque chose ?... » Les mots résonnaient dans la tête de Juliette. Est-ce qu'on lui demandait de jouer une autre pièce ? Ces gens étaient bien aimables, mais elle ne se sentait pas très sûre d'elle.

Juliette décida de se rasseoir sur le banc, le temps que les choses s'éclaircissent dans son esprit : « Concentre-toi, Juliette. Lui, c'est Julien. C'est mon mari. Le petit garçon, si beau, c'est mon neveu Robert, le fils de ma sœur. Et l'autre là, dans le fauteuil vert, c'est Robert aussi, mais plus vieux. Comme il a grandi ! Mais est-ce que c'est bien lui ? »

Juliette entendit la maman qui invitait son fils à prendre place au piano.

— Ne te fais pas prier, Pierre. Joue-nous quelque chose.

— Oh ! maman, je ne sais pas ! Je viens juste de rentrer...

Juliette s'aperçut que ce n'était pas à elle qu'on demandait de jouer. Elle se releva pour laisser la place.

« Le garçon s'appelle Pierre ? Il ne veut pas jouer ? Il ne faut pas le forcer... Moi aussi, quand je rentre de l'école, je préfère m'amuser avec mes poupées dans ma chambre avec ma sœur Berthe. Pourquoi Berthe insiste-t-elle pour que Robert joue du piano, il ne sait pas jouer. »

— Oh ! laisse-le, intervint Juliette, il ne sait pas jouer !

— Non, non, ce n'est pas ça. J'ai juste pas envie..., dit Pierre.

Le père de Pierre s'approcha de son fils en lui faisant signe de s'asseoir au piano.

— Allez, Pierre, oncle Julien et tante Juliette ne t'ont jamais entendu... Fais un petit effort, mon bonhomme, allez...

Pierre se résigna enfin à prendre place devant le clavier. Mais il se sentit paralysé, comme si son corps refusait de jouer.

Tout devint noir dans sa tête. Les battements de son cœur se mélangeaient à l'écho de la musique de Juliette qu'il venait d'entendre.

« Qu'est-ce qui m'arrive ??? »

Pierre tenta de se faire violence. Il prit une grande inspiration et réussit finalement à approcher sa main gauche pour jouer les deux premières notes de sa pièce. Le petit doigt sur le do en bas et le pouce sur l'autre do à l'octave.

Il les joua.

En principe, les doigts de sa main droite auraient dû intervenir un quart de soupir plus tard, c'est-à-dire exactement une fraction de seconde après, mais rien ne se passa.

Les deux notes que Pierre avait jouées résonnaient dans le vide. Son pouce droit resta suspendu au-dessus de la note qu'il devait jouer. Un sol.

Il ne se souvenait plus de rien.

— Qu'est-ce que tu fais ? Joue ! dit sa mère.

Pierre eut soudain une idée de génie pour se sortir du pétrin.

— J'ai pas ma partition !

— Eh bien, va la chercher ! s'impatienta son père.

Juliette recula d'un pas pour laisser passer le jeune garçon qui s'échappait du salon. « Je n'aurais pas dû parler. Tout le monde est fâché maintenant. Le petit est parti à cause de moi », pensa-t-elle.

Au même moment, Juliette aperçut une photo accrochée au mur. Elle s'en approcha pour mieux l'examiner.

La maman de Pierre vint la retrouver.

— Regarde, c'est nous quand on était allés vous voir à la mer, pour vous laisser Pierrot. Il y a trois ou quatre ans... c'est ça, Robert ?

Le père de Pierre se joignit à elles.

— Oui, regarde, ça, c'est toi. Ici, c'est Julien, moi, Isabelle... Et ce petit bonhomme qui n'a pas l'air très content, c'est notre Pierrot.

Juliette parcourait les visages de la photo, sans vraiment les reconnaître.

— Tu dis que c'est moi, ça ? murmura-t-elle en tapotant du doigt la vitre qui recouvrait l'image. Je suis bien grosse ! s'exclama-t-elle en riant. J'ai l'air en forme !

— Oh ! tu n'étais pas si en forme que ça ! intervint Julien. Tu as passé l'été couchée !

Juliette se sentit insultée et voulut se défendre.

— Bien ça devait être toi qui me fatiguais !

Tout le monde rit de la réponse de Juliette, comme d'une taquinerie.

Juliette, elle, continua d'examiner la photo. « La mer, la maison... Pierrot et son ballon rouge... »

Son regard s'illumina.

— Ah ! oui, c'est l'été du pialeino !

Pierre, qui arrivait au salon au même moment, sa partition à la main, entendit sa tante.

— Quoi ? Le pialeino ? Tu t'en souviens ?

SOUVENIRS DE PIALEINO

À la mention du mot « pialeino », Isabelle, la maman de Pierre, perdit l'équilibre un instant et se tordit la cheville en tombant de sa chaussure à talon haut. Robert, le père de Pierre, s'étouffa avec la gorgée de thé qu'il venait de prendre, ce qui lui en fit recracher la moitié.

Il faut dire qu'à son retour de vacances, cet été-là, leur fils n'avait cessé de leur casser les oreilles avec cette histoire invraisemblable de sa rencontre avec une espèce de piano-baleine qui lui avait enseigné les rudiments de la musique. Pierre répétait qu'il avait sauvé la vie du mammifère marin en jouant sur ses dents, ou quelque autre sornette du genre.

À l'époque, les parents avaient mis ce délire sur le compte de l'imagination débordante de leur petit garçon et l'avaient vite inscrit à des leçons de piano, d'abord pour satisfaire cette nouvelle passion pour la musique, mais aussi dans l'espoir qu'il arrêterait enfin de raconter de telles bêtises à tout le monde.

De toute évidence, leur fils en avait aussi parlé à Juliette.

— Mais oui, je m'en souviens, enchaîna Juliette. Tu étais rentré à toute vitesse dans la maison, réclamant un pianiste pour sauver la baleine que tu avais trouvée échouée sur la plage.

— Mais oui ! Mais oui ! Tu entends, papa, maman ?

Oncle Julien souriait de voir son épouse s'illuminer ainsi.

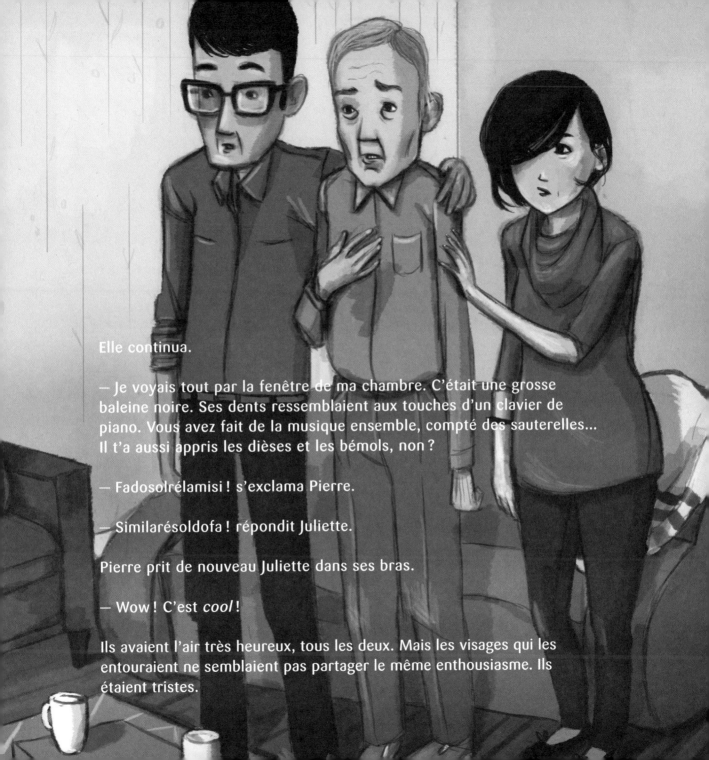

Elle continua.

— Je voyais tout par la fenêtre de ma chambre. C'était une grosse baleine noire. Ses dents ressemblaient aux touches d'un clavier de piano. Vous avez fait de la musique ensemble, compté des sauterelles... Il t'a aussi appris les dièses et les bémols, non ?

— Fadosolrélamisi ! s'exclama Pierre.

— Similarésoldofa ! répondit Juliette.

Pierre prit de nouveau Juliette dans ses bras.

— Wow ! C'est *cool* !

Ils avaient l'air très heureux, tous les deux. Mais les visages qui les entouraient ne semblaient pas partager le même enthousiasme. Ils étaient tristes.

Oncle Julien avait la larme à l'œil. La mère de Pierre alla le trouver et lui mit la main sur l'épaule.

— Vous restez manger avec nous ?

— Oh ! c'est gentil, mais nous allons rentrer, n'est-ce pas, Juliette ?

— Oh ! non, intervint Pierre, restez, s'il vous plaît. Je veux qu'on parle encore du pialeino avec tante Juliette ! Restez !

— Oui, oui, Julien, restez. Ça vous fera du bien de manger un bon repas. Et on se voit si peu souvent, alors que vous habitez tout près. C'est dommage...

— C'est vrai que c'est dommage. On sort très peu depuis quelques années. Organiser la maison prend tout mon temps et toutes mes énergies, on dirait.

— Il faut demander de l'aide, Julien. Vous êtes si discrets... Et nous, on n'ose pas s'imposer...

Juliette semblait ignorer la conversation. Elle continua son discours.

— Je le vois encore souvent. Il vient à la maison et joue du piano avec moi. Il est très gentil. Ma sœur Berthe aussi, et papa, maman, mon frère Georges, tout le monde est là, et on fait de la musique.

Pierre se retourna.

— Quoi ? Le pialeino vient chez vous ? Et tu parles de grand-maman Berthe ? Mais elle est morte, non ?

Oncle Julien fit un pas vers eux.

— Berthe n'est plus avec nous, Juliette. Tu sais bien. Elle est morte il y a dix ans. Elle avait été très malade.

— Ah ! oui, Berthe, ma petite sœur ! Elle joue bien, elle aussi.

Pierre était décontenancé.

— Pierrot, viens avec moi à la cuisine, on va mettre la table, intervint sa maman.

Pierre restait figé sur place, éberlué. Sa mère dut le tirer par la manche pour le sortir de sa torpeur et l'entraîner hors du salon.

Le père invita l'oncle et la tante à se rasseoir.

— Alors vous restez, c'est entendu. Je vous sers encore un peu de thé ?

— Un peu, s'il te plaît, dit Julien.

En se retournant, Juliette aperçut le piano.

— Oh ! vous avez un piano ! dit-elle, comme si elle venait de le remarquer. Je peux en jouer ?

Le père et oncle Julien reprirent place dans leurs fauteuils.

— Bien sûr, joue-nous quelque chose.

— On t'écoute !

Dans la cuisine, Isabelle passait les assiettes à son fils pour qu'il les dispose sur la table. Les sons de l'*Arabesque* que Juliette avait interprétée plus tôt parvinrent à leurs oreilles.

— Est-ce qu'elle est folle ? demanda Pierre.

— Ne dis pas ça. Elle est malade... Et pourquoi n'as-tu pas voulu jouer tout à l'heure ?

— Je ne sais pas. Je pense que j'avais peur de me tromper. Tante Juliette joue si bien...

DU SUCRE

Ce soir-là, bien qu'il fût couché depuis un bon moment, Pierre ne parvenait toujours pas à s'endormir, encore bouleversé par les événements de la soirée qu'il ressassait dans sa tête.

Il avait eu du plaisir à revoir son grand-oncle et sa grand-tante, à entendre Juliette jouer si bien... «Et elle se souvient du pialeino..., soupira-t-il. Même moi, je me demande parfois si tout ça m'est vraiment arrivé et elle dit qu'elle lui parle encore... C'est incroyable.»

Pendant le repas, Juliette avait à peine touché à son assiette. Elle buvait du vin, mais insistait pour y mettre du sucre. Beaucoup de sucre. Le père de Pierre avait beau lui rappeler que ça ne devait pas être très bon, Juliette en remettait toujours deux ou trois cuillerées dans son verre.

Oncle Julien intervenait gentiment.

— Laissez-la faire... C'est comme ça qu'elle boit son vin maintenant, n'est-ce pas, Juliette ?

En y songeant dans son lit, Pierre fit une grimace. «Beurk...».

On avait beaucoup évoqué de souvenirs de famille pendant la soirée, ce qui avait semblé plaire à tante Juliette. Elle se rappelait de tout petits détails très précis de son enfance, le nom d'une poupée qu'elle avait eue, ses jeux avec sa sœur Berthe et son frère Georges, maintenant disparus et que Pierre n'avait jamais connus. Pourtant, Juliette en parlait comme si elle les avait vus la veille ou allait les revoir le lendemain.

À un moment, elle demanda même pourquoi on ne les avait pas invités. Parfois, elle éclatait de rire, puis avait des larmes aux yeux la minute d'après. Vers la fin du repas, elle demanda à Julien de la ramener chez ses parents qui devaient être inquiets qu'elle ne soit pas déjà rentrée et qui allaient sans doute la gronder...

Quand Pierre avait entendu ça, il était resté sans voix. Les parents de tante Juliette étaient morts depuis longtemps..., elle-même devait avoir à peu près soixante-dix ans...

Ce qui le surprenait le plus, c'est que, d'une part, Juliette jouait du piano de façon remarquable mais que, pour tout le reste, elle semblait complètement perdue. Pierre avait dû lui répéter son prénom trois fois pendant le repas parce qu'elle l'appelait toujours de toutes sortes de noms, Robert, Georges, ou « qu'est-ce que c'est, ton nom, mon beau garçon ? »

Après leur départ, Pierre avait posé beaucoup de questions à ses parents sur l'état de santé de tante Juliette. Les réponses qu'il avait alors obtenues ne l'avaient pas du tout rassuré, au contraire.

— Pauvre tante Juliette... Pauvre oncle Julien...

En y repensant, Pierre regrettait de ne pas avoir joué pour sa tante. « Ça lui aurait sans doute fait plaisir... »

Mais revoyant la scène dans sa tête, il se sentit paralysé de nouveau. « Je n'étais pas prêt. Je me serais trompé partout et j'aurais eu l'air fou. C'est mieux comme ça, conclut-il. D'ailleurs, cette pièce est trop difficile pour moi... »

Pierre jeta un coup d'œil au réveille-matin sur la table de chevet. « Une heure du matin ! Oh là là ! Il faut que je dorme ! J'ai des cours demain... »

Il s'endormit enfin, mais son sommeil fut troublé par un rêve étrange.

Au bord de la mer, sur une plage de sable blanc, Pierre tentait de jouer sur un grand piano noir dont ne sortait aucun son.
À ses côtés, Juliette remplissait perpétuellement l'instrument de sucre qu'elle puisait à même le sol avec une cuillère.

WIKI...

Le lendemain matin, le réveil fut plutôt difficile. Pierre roula péniblement hors de son lit.

« Misère... »

Il fit sa toilette machinalement, les yeux encore à demi fermés, s'habilla avec ce qui lui tombait sous la main et se traîna les pieds jusqu'à l'école.

Lorsqu'il arriva enfin dans la cour, son amie Clara - la fille de son professeur de piano - vint à sa rencontre.

— T'as bien l'air endormi !

— Bonjour à toi aussi, Clara...

— Tu as encore les plis de l'oreiller imprimés sur le visage. Et tes cheveux ! Wow ! t'as l'air d'un coq qui sort de la sécheuse, t'es tout ébouriffé !

Elle approcha sa main pour le coiffer.

— Clara...

Clara s'amusait beaucoup de la tête que faisait son ami.

— Bouffi, aussi ; t'es un bouffi ébouriffé !

Pierre était trop fatigué pour se fâcher, mais il commençait à s'impatienter.

— OK, arrête...

— Ah ? Est-ce qu'on est bourru, en plus, ce matin ? Tu es un bourru-bouffi-ébou...

— Clara !

Elle finit de bien replacer les cheveux de Pierre et recula d'un pas pour mieux contempler son œuvre. Elle en sembla satisfaite.

— Bon, ça va comme ça. Alors, comment vas-tu ? Je t'écoute.

— J'ai vu ma tante Juliette, hier. Elle est folle, je crois...

— Folle ? Qu'est-ce que tu racontes ? Folle avec un entonnoir sur la tête et une camisole de force ?

— Non, c'est sérieux. Elle est malade. Mes parents m'ont expliqué en partie, mais...

DRRRRRRRRRRRIIINNNNNNNGGGG !!!

La cloche annonçant le début des cours retentit.

— Faut y aller !

Ils coururent tous deux vers la porte d'entrée.

— Rejoins-moi à la bibliothèque à midi, d'accord ?

— OK, fit Clara. Mais pourquoi ?

Dans le hall, ils durent se séparer pour se rendre dans leurs classes respectives.

— Je t'expliquerai...

— À tout à l'heure !

Après les classes de la matinée, Clara se rendit donc à la bibliothèque, tel que convenu. Pierre était déjà là, devant l'un des ordinateurs de la grande table à l'entrée. Il semblait très absorbé par ce qu'il lisait à l'écran.

— Qu'est-ce que tu regardes ?

— J'ai *googlé* « Alzheimer ». C'est la liste des vingt millions neuf cent mille résultats.

— La maladie d'Alzheimer ? C'est ce qu'elle a, ta tante ?

— C'est ma grand-tante. Mais oui, c'est ce que mon père m'a dit. Elle a ça et je veux savoir si c'est contagieux.

— Bien non, coco. C'est pas contagieux. Et tu veux lire tout ça à midi ?

Pierre avait cliqué sur un des résultats qui menait au site Wikipédia.

Ils lurent ensemble ce qui apparut à l'écran.

La maladie d'Alzheimer est une maladie neurodégénérative du tissu cérébral...

C'était assez technique et difficile à comprendre, mais Pierre reconnaissait les symptômes de sa tante Juliette :

[...] *pertes de souvenirs...* [...] *souvenirs plus anciens relativement préservés...*

— C'est tout comme Juliette. Elle se souvient de plein de vieilles affaires, mais elle ne se rappelle plus ce qui s'est passé il y a cinq minutes. C'est vraiment très bizarre à voir.

Ils continuèrent leur lecture :

[...] *confusions, troubles de l'humeur et des émotions...* [...] *allant jusqu'à la perte des fonctions autonomes et à la mort.*

À l'heure actuelle, il n'existe pas de traitement efficace contre la progression de la maladie.

Pierre se redressa sur sa chaise.

— La mort ? Pas de traitement ?

Clara continua sa lecture.

— Mais tu vois bien que c'est écrit nulle part que c'est contagieux.

— Tu dis ça, mais hier, quand ils étaient chez nous, elle et mon oncle, ils m'ont demandé de jouer du piano et je n'ai pas pu. J'étais tout mêlé. Je crois que j'avais oublié comment jouer. C'était effrayant.

— Tu as essayé de jouer et tu t'es trompé, ou tu ne te souvenais plus du morceau en question ?

— Je n'ai pas vraiment essayé. Deux notes, c'est tout ! C'est comme si je savais que j'allais me tromper, ou quelque chose comme ça.

— Ah ! Tu avais **peur** de jouer, alors.

Pierre y pensa un moment. Il dut se rendre à l'évidence.

— Oui, tu as raison. Je pense que j'avais peur.

— Alors je ne crois pas que ce soit la maladie d'Alzheimer, c'est plutôt une autre maladie encore plus grave, que tu as.

— Sérieux ? Qu'est-ce que c'est ?

— Le trac !

— C'est mortel aussi ? Juliette a dit qu'elle avait ça aussi, hier.

— Tiens, laisse-moi faire, je vais te montrer.

Clara s'empara du clavier et entra le mot « trac » dans la fenêtre de recherche. Elle lut à haute voix ce qu'elle avait trouvé.

Le trac est un sentiment d'appréhension irraisonnée avant d'affronter le public, d'entrer en scène. Pour certains comédiens, c'est un stimulant utile qui les aide à performer sur scène.

— On donne un exemple :

Elle attendait le trac qui ne venait pas. Pourtant tous les bons comédiens l'ont. C'est un extrait d'un livre de Françoise Sagan, apparemment.

On dit aussi "avoir des papillons dans le ventre".

— Ah ! dis donc, je me suis trompée, ça n'a pas l'air mortel, finalement. Ni grave non plus. Désolée.

Clara vit bien que ses boutades n'amusaient pas son ami.

— Excuse-moi. C'est vraiment dommage pour ta tante. C'est bien triste tout ça.

— Tu aurais dû l'entendre jouer du piano... Elle est vraiment bonne.

— Est-ce que c'est ça ? Tu ne voulais pas jouer parce que c'est une bonne pianiste et que tu craignais la comparaison ?

— C'est pas que je ne voulais pas ; je ne pouvais pas !

— Dans ce cas, tu vas bien t'amuser à ta leçon tout à l'heure.

— Pourquoi ?

— Papa ne te l'a pas dit ? Il y a aura d'autres élèves. Il organise un récital. Alors, il a convoqué tout le monde à la maison après l'école.

Le visage de Pierre devint tout blanc.

— Mais... c'est **ma** leçon !

— En effet, ça risque d'en être une !

Pierre resta muet et immobile. Clara se leva et se dirigea vers la sortie.

— On se voit après l'école ? Ne t'en fais pas ; je te tiendrai la main jusque chez moi pour pas que tu te perdes en chemin.

— Mais c'est **ma** leçon...

CHOUCHOU

— OK, tu peux me lâcher la main maintenant.

Pierre et Clara revenaient ensemble de l'école et approchaient de la maison qu'elle habitait avec son père, M. Wieck, le professeur de piano.

Clara laissa la main de Pierre, à regret. Le rassurer n'avait été qu'un prétexte. Elle aimait vraiment se balader comme ça, main dans la main avec son ami.

Pierre ne l'aurait pas avoué, mais ça lui plaisait bien aussi. Mais maintenant, ils étaient parvenus devant la clôture du jardin, et déjà les papillons dans son ventre agitaient leurs ailes.

— Il y aura beaucoup de monde ? On va tous jouer les uns devant les autres ?

— Mais qu'est-ce que tu as ? Tu as déjà joué devant des gens. Il y a deux ans, ce concert à la salle municipale, et l'année dernière encore, chez Mme Létourneau...

— Ce n'est pas pareil. J'étais plus jeune...

— Ah ! oui, j'oubliais, tu es vieux, maintenant !

— Arrête de te moquer, c'est pas ça... C'est plus difficile, ce que ton père me fait jouer en ce moment.

— Debussy, c'est ça ?

— Oui, *Doctor Gradus ad Parnassum* ; ça va pas mal vite, je te jure.

Clara ne put réprimer un sourire, elle qui en savait davantage sur ce qui attendait Pierre une fois dans la maison.

— Allez, entrons. Tu vas voir, tu vas te régaler.

Elle l'entraîna par la manche jusqu'à la porte.

— *Hallo Papa, is est uns!* *

Une bourrasque sonore les accueillit, les figeant tous deux sur place. Quelqu'un était au piano et en jouait furieusement. Pierre reconnut les dernières mesures de *Doctor Gradus ad Parnassum.*

— Ma pièce !

Ils suivirent la musique jusqu'au salon, alors que les trois derniers puissants accords de la fin se faisaient entendre.

C'était magistral.

Pierre espérait encore que ce fût un disque qu'on entendait, ou alors que M. Wieck lui-même faisait une démonstration, mais, en entrant dans le salon, il fut vite déçu d'apercevoir une petite fille toute menue au clavier. Elle avait deux jolies tresses noires avec des rubans rouges et des yeux bridés, tout souriants.

En plus du professeur et de la petite pianiste, il y avait deux autres filles et un garçon. Ce dernier était plus âgé que Pierre.

* On se rappellera que Clara et son père sont originaires d'Allemagne (voir *Pierre et Clara*).

— C'est bien, Vi Dong, fit M. Wieck.

— Bravo ! firent Clara et les autres.

« Ma pièce... », pensa Pierre.

— Ah ! te voilà, toi ! Vous avez traîné en chemin ?

Clara embrassa son père.

— Bonjour, papa.

— Allez, bonjour. On vous attendait. Pierre, je te présente William, Clothilde, Marie et Vi Dong, que tu viens d'entendre.

Les enfants se saluèrent. M. Wieck prit la parole.

— Tout le monde a une place ? Bon. J'organise un petit récital en prévision d'un concours de musique qui se tiendra dans quelques mois. Je vous ai réunis aujourd'hui... – Pierre, tu me pardonneras la surprise, mais c'était le seul moment pour avoir tout le monde – donc je vous ai réunis pour vous habituer à jouer devant d'autres élèves. Ici, vous n'en êtes pas nécessairement tous au même point, mais, dans un concours, il y aura d'autres élèves du même niveau que vous. Et il n'est pas rare que plusieurs musiciens jouent la même pièce. Alors, il faut s'y faire.

Pierre n'aimait pas du tout, mais alors pas du tout la tournure que prenaient les événements. « Un récital ? Un concours ? D'autres élèves ? La même pièce ? Non-non-non-non-non-non », pensa-t-il.

Mais, pour le moment, il était bien pris et devait, comme on dit, faire face à la musique.

Heureusement, la vraie torture ne semblait pas vouloir commencer tout de suite, puisque M. Wieck n'arrêtait pas de parler.

— Ce sera un récital Debussy, avec des pièces du *Children's Corner*. Vous savez qu'il les a composées pour sa fille Chouchou, n'est-ce pas ? dit-il en baignant Clara de son regard attendri.

Clara lui sourit. Il continua.

— Aujourd'hui, on va un petit peu parler d'interprétation. Les juges des concours évaluent la musicalité et la façon dont l'élève traduit la musique, et je veux qu'on travaille cet aspect.

M. Wieck se mit au piano et commença à jouer, mais il continuait de parler par-dessus la musique. En fait, il criait presque. Il chantait aussi.

— Vous savez, Debussy a révolutionné la façon de jouer du piano. Il avait ce désir profond de prouver que cet instrument n'était pas que percussif, *ladididiiiiiilaaadadaaaa...* Au contraire de la plupart des autres compositeurs de son temps, *titatatataaaaa...*, il disait qu'il composait avec des sons plutôt qu'avec des notes, *dadadadaaaa...*

Pierre n'avait pas souvent vu son professeur être si loquace, si enthousiaste. Ses gestes étaient très amples aussi, comme pour laisser respirer le piano.

— Il a utilisé beaucoup de longues notes pédale - dans le grave - et des registres extrêmes simultanément qui provoquent un effet de perspective sonore, comme ici... *ladidi...* Par ces nuances douces, il accentue les effets de perspective, l'effet de lointain, de douceur, de brume. Ici, de l'eau, peut-être... *ladidilalaaaaa...* Les sons deviennent une texture, une couleur, une impression atmosphérique. *Tataaaa... titiiiiii....* C'est une démarche comparable à celle des peintres de cette époque... Vous savez, *Moneeeeeeeeeet, Renooooooirrrrrrr, dadidiiiii... Pissarooooooooooooo...*

Tout en jouant, le professeur attira l'attention de ses élèves sur sa main droite.

— Écoutez ici, il a usé d'un toucher plus effleuré, plus flatté, très souple, beaucoup de pédale pour créer du flou, de la résonance... *didiiiii*, *dadaaaaaa*... des timbres jamais durs, mais plutôt enveloppants et vaporeux, *ladidiiii, ladadadadaaaaa*... Je veux vous entendre essayer ceci tout à l'heure...

Pierre, dont les papillons au ventre semblaient se multiplier à mesure qu'on approchait de la fin de la pièce, s'approcha de Clara.

— Je vais à la salle de bains.

— OK.

Quand le professeur eut joué la dernière note de cette *Rêverie* de Debussy, il se tourna vers ses élèves.

— Alors. À qui le tour ? Clothilde ? Pierre ? Où est Pierre ?

— À la salle de bains, répondit Clara. Mais ça fait un bout.

— Va le chercher.

Clara quitta le salon et prit la direction de la salle de bains. Vide !

— Étrange... Pierre ?

En revenant sur ses pas, elle aperçut la porte d'entrée laissée ouverte. Elle l'ouvrit davantage.

— Pierre ?... Pierre ?

Pierre venait justement de sauter la clôture du jardin et traversait déjà la rue à toute vitesse.

FUGUE

Pierre courait. Il ne savait pas trop où il allait, mais il courait. Fuir. S'éloigner. Être ailleurs, et vite. Voilà tout ce qui comptait.

Le soleil le frappait par derrière, et on aurait dit que Pierre tentait de rattraper son ombre qui fuyait devant lui. Évidemment, il n'y parviendrait jamais, mais cette ombre le tirait irrésistiblement en avant.

Il évitait habilement les passants qu'il croisait. Tous se retournaient pour voir après quoi ce garçon pouvait bien courir. Un autobus ? Un chien ? D'autres enfants ? Rien, nulle part.

Tout à sa course, Pierre ne vit pas venir la voiture qui freina brusquement sur son passage au coin d'une rue, manquant de justesse de le renverser.

La conductrice lui fit de grands signes de colère.

— Regarde où tu vas !!! lui cria-t-elle à travers son pare-brise.

La voiture tourna le coin en crissant des pneus et continua en rugissant dans la direction d'où Pierre arrivait.

En la suivant du regard, à moitié aveuglé par le soleil, Pierre constata toute la distance qu'il avait parcourue. Il était hors de danger maintenant. Un peu soulagé, mais encore sous le choc, il s'assit au bord du trottoir pour reprendre son souffle.

Les événements qui l'avaient entraîné dans cette course folle lui remontèrent soudainement à la mémoire.

Qu'est-ce qu'il avait encore fait ? « Il va être content, le professeur Wieck. Et Clara... Et mes parents... Oh là là, qu'est-ce qui m'attend ? »

Les papillons de tout à l'heure dans son ventre avaient peut-être disparu en chemin, mais ils venaient tout à coup d'être remplacés par d'autres, plus nombreux encore. Plus gros, velus, avec des antennes et des dards qui piquent.

La tête entre les mains, Pierre continuait à s'apitoyer sur son sort, lorsqu'il vit une paire de pantoufles apparaître, juste devant ses pieds.

Des pantoufles en fourrure violette ; ce qui lui sembla un peu incongru dans le contexte.

— Tu pleures, Robert ?

Pierre se redressa.

— Tante Juliette ?

Juliette se tenait devant lui. Elle était en robe de chambre et en pantoufles, toute décoiffée. Mais elle avait pris soin de mettre ses beaux gants de cuir rouge. Ça lui donnait une drôle d'allure.

— Bien oui, mon garçon. Je suis contente de te voir.

Pierre se leva.

— Moi aussi, tante Juliette, mais où vas-tu comme ça ? Et t'as pas un peu froid, en robe de chambre ?

Elle lui tendit la main.

— On va marcher ensemble, OK ? Je vais te reconduire chez Berthe.

Pierre voyait bien que sa vieille tante était égarée.

En jetant un coup d'œil aux alentours, il constata aussi qu'en quittant la maison de M. Wieck sans prendre garde à la direction où l'entraînait sa fuite, il s'était retrouvé dans le quartier de Julien et Juliette. Leur maison n'était pas très loin.

« Pourquoi suis-je venu par ici ? » se demanda-t-il. Mais ce n'était pas le temps de se poser ce genre de question.

Selon ce que ses parents lui avaient dit et avec ce qu'il avait lu sur la maladie de sa tante, Pierre savait qu'il arrive que les gens qui souffrent d'Alzheimer partent se promener comme ça, sans trop savoir où ils vont, à la recherche de lieux ou d'objets familiers, mais qui parfois n'existent plus. C'est dangereux, parce qu'ils peuvent se perdre ou être pris de panique quand ils ne savent plus où ils sont.

Lui-même se sentait un peu perdu, mais il vit bien qu'il y avait urgence et qu'il lui fallait aider sa pauvre tante. Habillée comme ça en pleine rue et désorientée, elle pouvait se faire frapper par une voiture.

— Est-ce qu'oncle Julien sait que tu es partie ?

— Oh ! je crois qu'il dort. Il aime ça se coucher en revenant de l'école...

On avait aussi dit à Pierre qu'il valait mieux ne pas contredire ces malades et plutôt tenter de changer de conversation, quand c'était nécessaire, et avec douceur.

Pierre lui prit le bras et commença à marcher tranquillement en direction de chez elle.

— T'es sûr que c'est par là ?

— Oui, oui, c'est un raccourci.

Il continua.

— Tu sais, l'autre jour, tu m'as parlé du pialeino ; est-ce que tu t'en souviens ?

— Ah ! le pialeino. Tu sais ce qu'il m'a dit encore tout à l'heure ?

Pierre continuait à guider sa tante, sans s'étonner de ce qu'elle lui racontait. Il était surtout content qu'elle le suive sans rouspéter.

— Je ne sais pas. Qu'est-ce qu'il t'a dit ?

— Pour Debussy, il faut jouer avec un toucher plus effleuré, plus flatté...

— Comme dans ton *Arabesque* que tu joues ? C'est drôle que tu dises ça, parce que mon professeur m'a dit la même chose.

— Tu prends des cours de piano, mon petit Robert ?

— C'est Pierre, mon nom, tante Juliette. Robert, c'est mon père.

Juliette s'arrêta net. Son visage était troublé.

— T'es pas le Robert de Berthe ?

Pierre ne voulut pas la contrarier.

— Pas exactement. Je suis le fils de Robert, qui lui est le garçon de grand-maman Berthe. Mais c'est vrai qu'on se ressemble beaucoup.

Son explication sembla la calmer.

— Ah bien ! Attends que je dise ça à Julien...

Justement, ils tournaient le coin de la rue et Pierre put apercevoir la maison d'oncle Julien et de tante Juliette.

— On est presque arrivés, regarde.

— C'est difficile, Debussy. Même les pièces pour enfants..., ça prend beaucoup de technique et de musicalité.

Pierre, qui songeait au fiasco de sa leçon, ne pouvait la contredire sur ce point. Il s'arrêta à son tour.

— Tante Juliette, est-ce que tu as déjà eu le trac ?

— Moi ? Tout le temps. Là, par exemple, j'ai le trac.

— Tu as comme des papillons dans le ventre ? Pourtant, tu ne joues pas du piano en ce moment !

— Non, mais je ne suis pas sûre de l'endroit où tu m'emmènes, et j'ai un petit peu froid. Tout à l'heure, je pense que je me suis trompée dans ce que j'ai dit... je suis vieille...

— Mais avec moi, est-ce que tu es bien ?

— Oui, tu es très gentil.

Ils arrivèrent enfin devant la maison.

— Alors, tu auras un peu moins le trac si je te dis que je t'aime ?

Elle le prit dans ses bras. Elle pleurait.

— Tu restes avec moi, Robert ?

— Oui, tante Juliette. Je suis avec toi. Je ne te quitte pas. Viens, rentrons chez toi.

LA VISITE DU DOCTEUR

— Pierre ! Juliette ! Vous êtes là ?

La porte d'entrée s'était ouverte toute seule, avant même que Pierre ne touche la poignée. Oncle Julien avait le combiné du téléphone à l'oreille. Il était tout énervé.

— Ils sont là, madame ! Oui, le fils de mon neveu la ramène à l'instant...
Non, ils n'ont pas l'air d'être blessés... Ça va ? Mais où étais-tu, Juliette !!??
Non, madame. Pas vous. C'est ma femme. Elle est revenue. Non, plus besoin
d'envoyer... c'est ça... Oui, merci, on sera prudents...

Et il raccrocha le combiné en vitesse.

— Juliette ! Pierre ! Oh ! Juliette, j'étais tellement inquiet ! J'étais en train de
prévenir la police... Je ne voulais pas quitter la maison, au cas où tu reviendrais...

Il prit Pierre dans ses bras et le serra de toutes ses forces.

— Merci, merci, mon garçon. Comment l'as-tu trouvée ? Où était-elle ?

Pierre embellit un peu son histoire en expliquant qu'il revenait tranquillement de
sa leçon de piano lorsque, soudain, il avait aperçu sa tante au loin. Connaissant
l'état de Juliette en raison de sa maladie neurodégénérative du tissu cérébral, il
avait couru à sa rencontre afin de la ramener en sécurité à la maison. Pierre
profitait de l'occasion pour faire l'étalage des nouvelles connaissances qu'il

venait d'acquérir sur la maladie de sa tante, comme s'il était maintenant un expert en la matière.

— ... et elle aurait pu se perdre, parce que le prétexte, non, le contexte... le cortex, euh ! le cortex sociotemporaire... affectif... le...

Pierre commençait lui-même à s'égarer dans ses explications. Mais Julien ne l'écoutait plus. Il était tout à sa Juliette qui venait de s'asseoir au piano.

— Juliette ?

— ...

— Tante Juliette ?

— Chérie, réponds-nous ! Qu'est-ce qu'il y a ?

— Je ne sais plus quoi jouer.

Les yeux de la pianiste se mouillèrent.

— Oh ! joue-nous ton *Arabesque* que tu interprètes si bien, suggéra Pierre.

— Je ne sais pas de quoi tu parles.

— Ou joue autre chose, ce que tu veux, ma chérie, dit Julien.

— Je ne sais pas comment jouer. Il ne veut plus démarrer.

Juliette ouvrait et refermait le couvercle du clavier, inspectait les touches, comme pour tenter d'en découvrir le mécanisme.

— Où est la musique ? Où sont les notes ?

Pierre sentit sa gorge se nouer. Cette belle femme, cette pianiste qui cherchait comment démarrer son piano... Il se tourna vers son oncle. On pouvait lire le désespoir dans ses yeux. L'incrédulité et le désespoir.

— Mais comment... comment ?

Pierre s'approcha de sa tante et prit place à ses côtés.

— Regarde.

Il leva le couvercle du clavier.

Pierre joua les premières notes de **sa** pièce, *Doctor Gradus ad Parnassum*. Il ne s'arrêta pas aux deux premières notes, cette fois-ci. Il continua, se surprenant lui-même de la confiance qu'il ressentait.

Au fil des phrases musicales que Pierre interprétait pour elle, Juliette aussi reprenait confiance, semblait-il. Un sourire était apparu sur ses lèvres. Elle sécha la larme qui avait coulé sur sa joue. Les yeux clos, elle dodelinait de la tête, bercée par le rythme. Juliette dansait en elle-même.

Sur l'écran de ses paupières fermées, elle voyait défiler, tournoyer, danser ses parents, ses frères et sœurs, tout ce qui lui était familier et précieux. Les visages comme les objets apparaissaient, disparaissaient, puis revenaient encore, comme les couleurs animées d'un kaléidoscope. Elle les touchait presque, elle les sentait et elle était bien.

Pierre aussi était bien. Une grande quiétude l'habitait maintenant, malgré la difficulté de la partition.

Il avait toujours eu du plaisir à jouer du piano, mais ce qu'il éprouvait en ce moment était quelque chose de beaucoup plus fort encore. Du bonheur. Il jouait pour sa tante Juliette, pour la consoler, pour l'emmener ailleurs, ne serait-ce qu'un instant ; pour prendre un peu de sa peine, de celle de l'oncle Julien, et la remplacer par de la musique. Il n'avait jamais soupçonné cette joie qu'il découvrait en cet instant. Il voulait que ça dure toujours.

Lorsqu'il eut dévalé les derniers arpèges endiablés de sa pièce et que les ultimes accords furent plaqués, Pierre se rappela les mots du pialeino : « Chaque fois que tu joueras du piano, je serai là, avec toi. » Il comprenait maintenant. Malgré le trac, il ne serait jamais seul au clavier. Il pourrait toujours jouer pour quelqu'un. Ou pour raviver la mémoire de quelqu'un.

— C'est beau, c'est beau, c'est beau ! répétait Juliette ; ses yeux brillaient. Qu'est-ce que c'était ?

Julien s'était rapproché pour serrer sa femme dans ses bras.

— Voyons, Juliette, c'est Debussy, le *Children's Corner* ! Tu as entendu ça des milliers de fois ; le *Docteur Gradus*, tu l'as même déjà joué en récital !!!

L'oncle Julien aussi avait des étincelles dans les yeux. Rien ne le rendait plus heureux que de voir sa Juliette en joie.

— Non, non, je ne connaissais pas ça. Tu dois te tromper… Mais j'adore ça !

— Je t'assure, tu as même la partition. Lève-toi, je crois qu'elle est dans le banc du piano. La voilà !

Julien ouvrit le cahier à la bonne page sur le lutrin. Ils prirent place tous les deux sur le banc, collés comme des amoureux, et Juliette commença à déchiffrer cette musique qu'elle connaissait pourtant déjà.

— Comme c'est joli !
s'émerveilla-t-elle,
ravie des sons
qu'elle produisait.

— Tu joues bien,
ma chérie.

Il lui fit un baiser
dans le cou. Elle
gloussa, tout en
jouant.

— Mon Julien,
t'es fou !

Pierre se leva doucement. Il se rendit jusqu'à la porte et sortit sans que son
oncle et sa tante, tout à leur amour, ne s'en aperçoivent. En refermant la porte,
il pensa : « Ce qu'il y a de bien avec la maladie de Juliette, c'est qu'elle découvre
la musique pour la première fois chaque fois qu'elle en entend. Ça doit être
assez *cool* ! »

CODA

— Ah ! te voilà !!?? Mais pourquoi t'es-tu enfui comme ça ???

Clara ouvrait la porte à Pierre qui revenait en catastrophe, en courant et en sueur, sur la scène de son crime.

— C'est rien, je te raconterai.

— Tout le monde a joué, il ne restait plus que toi, allez, entre, va vite au salon !

M. Wieck ne sembla pas surpris de le voir arriver.

— Pierre ! *Ach*, c'est gentil de venir nous rendre visite de nouveau !

— Pardon, M. Wieck. Je pourrais vous donner toutes sortes d'excuses, mais la vérité, c'est que j'avais le trac.

— Le trac ? *Ah ja! Lampenfieber!* C'est bien d'avoir le trac, mon ami. Ça démontre un tempérament artistique.

— Ah oui ? C'est bien ?

— À moins que cela fasse en sorte que le pianiste s'enfuie et ne revienne qu'après que les spectateurs sont partis. C'est une mauvaise stratégie pour une carrière de soliste. Ce n'est pas rentable à long terme. *Nein, nein, nein...* Je connais bien ça...

— Je ne m'enfuirai plus, je promets. J'ai un truc, maintenant.

— *Eine* truc pour le trac ? On peut savoir ce que c'est ?

— Euh, non, je ne crois pas. C'est, disons, personnel !

— *Natürlich*. Je comprends.
Alors, dans ce cas, on y va ?

— On y va.

M. Wieck frappa dans ses mains.

— Allons, les enfants, Clothilde, Clara,
Vi Dong, William, Marie ! Venez ! Le
jeune maestro dit qu'il est prêt
maintenant.

Les enfants accoururent.

— Et vous allez nous jouer quoi ?

— Vous allez être vraiment épatés !
Imaginez que c'est une pièce inédite de
Debussy, qu'il a composée pour sa tante
Juju. Ça vient à peine d'être découvert.
Tout près d'ici, en plus !

Claude Debussy

Compositeur français né le 22 août 1862 à Saint-Germain-en-Laye,
mort le 25 mars 1918 à Paris.

Issu d'une famille de modestes commerçants, Claude Debussy se fait rapidement remarquer par ses dons musicaux et est admis au Conservatoire de Paris dès l'âge de dix ans.

La musique de Debussy est très novatrice : il abandonne les principes de l'harmonie classique et instaure des accords et des enchaînements résolument inédits. La beauté des combinaisons sonores est la règle d'or de ses partitions. En cela, il est suivi par toute sa génération. Sa musique possède un fort pouvoir de suggestion lui permettant de composer, avec le même soin, de vastes fresques sonores (*La Mer*, pour orchestre) ou des miniatures (*Préludes*, pour piano). On dit de son œuvre qu'elle a anticipé d'un demi-siècle son époque.

Children's Corner constitue une sorte de parenthèse intime dans son travail. En juillet 1908, il offre à sa fille Chouchou, qu'il aime passionnément, ce petit recueil qui l'immortalisera, composé de petites pièces raffinées qui évoquent à la fois l'humour fin, l'émotion délicate, l'espièglerie et la douce affection. Les titres anglais des morceaux sont un clin d'œil à l'anglomanie ambiante dont il se moque, mais à laquelle il n'échappe pas : Chouchou a une gouvernante anglaise et lui-même possède une importante collection de gravures d'artistes anglais !

NDLÉ : Les textes de cette section biographique se sont inspirés de ceux publiés dans le *Guide de la musique de piano et de clavecin*, sous la direction de François-René Tranchefort, Fayard, 1987, ainsi que sur les sites Wikipédia et Vikidia, l'encyclopédie des 8-13 ans.

Serge Prokofiev

Compositeur russe né le 23 avril 1891 à Sontsovka, en Ukraine,
mort le 5 mars 1953 à Nikolina Gora, près de Moscou.

Précocement doué pour le piano et la composition, Serge Prokofiev entre au Conservatoire de Saint-Pétersbourg à l'âge de quatorze ans, où il agit en enfant terrible : anticonformiste, convaincu de son talent et de sa supériorité sur les autres élèves, voire sur ses professeurs, un rôle qu'il ne cessera de jouer tout au long de sa carrière. Ceci ne l'empêche toutefois pas de remporter, à vingt-deux ans, le prix Anton Rubinstein du meilleur étudiant en piano.

Il est l'auteur de nombreuses œuvres musicales, allant de la symphonie au concerto, de la musique de film à des opéras ou des ballets ; il est reconnu de son vivant comme un artiste d'une grande âpreté harmonique et rythmique. Serge Prokofiev est à la fois compositeur de musique classique, pianiste et chef d'orchestre.

Musiques pour enfants op. 65, écrites à l'été 1935, recèlent douze pièces faciles qui suivent les événements de la vie d'un enfant au cours d'une journée d'été. Comme de nombreux compositeurs soviétiques, il apporte ainsi sa contribution à la pédagogie musicale, ce qu'il poursuivra l'année suivante, pour orchestre cette fois, avec *Pierre et le Loup*.

Musiques pour enfants op. 65 ont été choisies pour l'album avec CD *Pierre et le pialeino*, paru en 2007.

Robert Schumann

Compositeur allemand né le 8 juin 1810 à Zwickau,
mort le 29 juillet 1856 à Endenich, près de Bonn.

Robert Schumann est un poète qui s'exprime par les sons. Sa musique s'inscrit dans le mouvement romantique qui domine, en ce début de XIXe siècle, une Europe en pleine mutation. Encouragé par son père, un libraire cultivé, il prend ses premières leçons de piano à l'âge de sept ans. Rapidement, il compose de petites pièces. Son père l'initie également aux poètes allemands qui, plus tard, ont une influence déterminante sur ses compositions.

En 1840, son mariage avec Clara Wieck, la fille de son professeur, en dépit du refus de ce dernier pendant de longues années, sera le plus grand bonheur de sa vie. De cette période de difficiles fiançailles datent ses plus belles œuvres pour piano, magnifiées par l'art de Clara, elle-même pianiste virtuose. Il connaît une fin tragique, à quarante-six ans, après deux ans d'internement dans un asile, fidèlement veillé par Clara.

Mais, en 1848, Schumann est un époux et un père comblé. Cette décennie est la plus féconde de sa vie. En quelques semaines, parmi d'autres travaux d'envergure, il rassemble, sous le titre *Album pour la jeunesse op. 68*, des dizaines de piécettes faciles, écrites au cours des ans, de niveau élémentaire et accessibles aux doigts des pianistes en herbe. Schumann, dès 1838, s'était déjà penché sur l'univers enfantin avec le cycle des *Scènes d'enfants*.

Des extraits de l'***Album pour la jeunesse op. 68*** ont été choisis pour l'album avec CD *Pierre et Clara*, paru en 2008.

Piotr Tchaïkovski

Compositeur russe né le 7 mai 1840 à Votkinski, mort le 18 novembre 1893 à Saint-Pétersbourg.

Piotr Tchaïkovski est un compositeur russe de l'ère romantique. Orchestrateur génial, doté d'un grand sens de la mélodie, il donne au ballet ses lettres de noblesse. Sa famille le destine à la magistrature. Mais en 1862, après avoir fait des études de droits et contre la volonté familiale, il décide de devenir musicien professionnel. Dès lors, il étudie la musique pendant quatre ans au Conservatoire de Saint-Pétersbourg. Il apprend à jouer de l'orgue, de la flûte et du piano. En 1866, à la fin de ses études, on lui confie un poste de professeur de théorie musicale au Conservatoire de Moscou.

Pour lui, ses mélodies sont la traduction d'un état d'âme. «La symphonie, dit-il, n'est que la confession musicale de l'âme.» D'ailleurs, il n'admet pas d'une musique qu'elle ne soit qu'un jeu sans but. Les ballets les plus célèbres pour lesquels il a composé la musique sont incontestablement *Casse-Noisette* (1892) et *Le Lac des cygnes* (1876).

Recueil de vingt-quatre petites pièces composées entre mai et juillet 1878, l'*Album d'enfants op. 39* est dédié à son neveu Vladimir Davydov («Bob»), alors âgé de six ans. Ces pièces restent d'une grande valeur pédagogique pour les jeunes pianistes et sont encore aujourd'hui populaires. Tchaïkovski a d'ailleurs pris un soin particulier à donner à ces petits morceaux faciles des titres qui plairont aux enfants.

Des extraits d'*Album d'enfants op. 39* ont été choisis pour l'album avec CD *Pierre et les voyous*, paru en 2010.

50%

Achevé d'imprimer
en juillet 2012 sur les presses de
TC Transcontinental
Imprimé au Canada - Printed in Canada